Sally Johnson · Eduardo Ruiz

Aprendo  Palabras

Pequeño Emecé

Para Mariana, Agustín e Ignacio,
y para nuestros padres

Aunque los dígrafos CH y LL han sido
oficialmente excluidos del alfabeto español,
figuran aquí por razones pedagógicas

Emecé Editores S.A.
Alsina 2062 - Buenos Aires, Argentina
E-mail: editorial@emece.com.ar
www.emece.com.ar

© Emecé Editores S.A., 2000
© Sally Johnson / Eduardo Ruiz, 2000

2ª impresión: 4.000 ejemplares
Impreso en BIGSA,
Manuel Fernández Márquez, s/n Mód.6-1
08930 Sant Adrià del Besós, Barcelona, España,
en diciembre de 2000.

IMPRESO EN ESPAÑA / PRINTED IN SPAIN
Queda hecho el depósito que previene la ley 11.723
I.S.B.N.: 950-04-2122-4
32.069

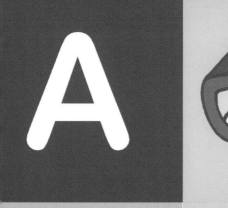

A

ANTEOJOS

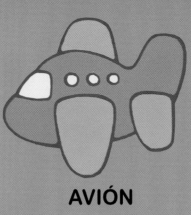

AVIÓN

ANANÁ

ABEJA

ARDILLA

ÁRBOL

AMBULANCIA

ACEITUNA

AUTO

ARAÑA

ANILLO

B

BOMBERO

BÚHO

BARRILETE

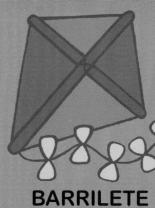

BERENJENA

BARCO

BRUJA

BEBÉ

BALLENA

BIGOTE

BANANA

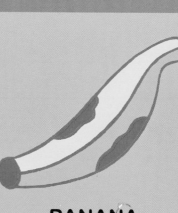

BALDE

C

CANGREJO

CONEJO

CARAMELOS

CARACOL

CARTERA

CASA

CEPILLO

CIRUELA

CORONA

CAMPANA

CAMIÓN

CH

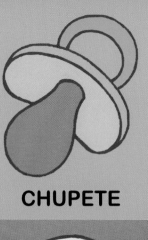

CHUPETE

CHANCHO

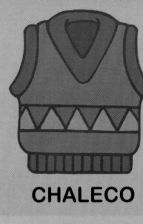

CHALECO

CHIMENEA

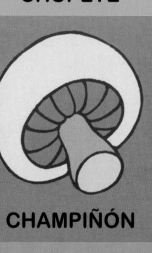

CHAMPIÑÓN

CHINO

CHOCLO

CHICHÓN

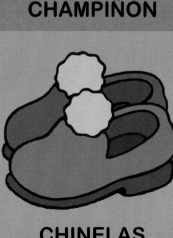

CHINELAS

CHURRASCO

CHOCOLATE

D

DADO

DUENDE

DELFÍN

DULCERA

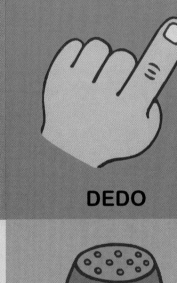

DEDO

DAMAJUANA

DENTISTA

DELANTAL

DEDAL

DINOSAURIO

DURAZNO

E

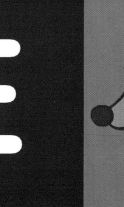

ERIZO

ESTETOSCOPIO

ESTRELLA

ESCALERA

ESCARPÍN

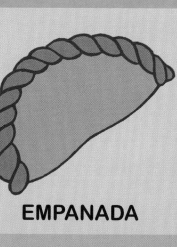

EMPANADA

ESCARABAJO

EDIFICIO

ESPEJO

ELEFANTE

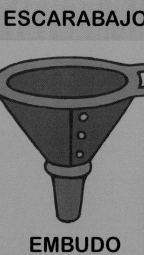

EMBUDO

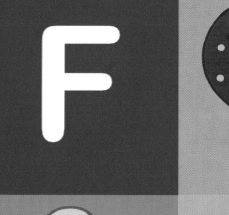

F

FRUTILLA

FÁBRICA

FUEGO

FANTASMA

FOCA

FLOR

FAROL

FARO

FLAN

FURGONETA

FRUTA

G

GIRASOL

GLOBO

GALLINA

GORRIÓN

GUSANO

GATO

GORRO

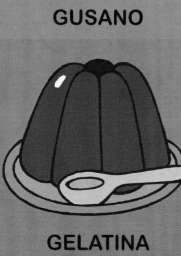

GITANA

GELATINA

GUANTE

GRILLO

H

HELADO

HONGO

HIPOPÓTAMO

HUESO

HOJA

HORMIGA

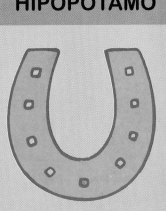

HERRADURA

HUEVO

HELICÓPTERO

HACHA

HOMBRE

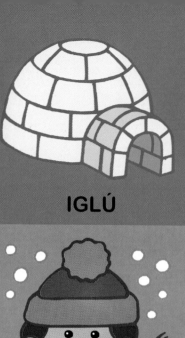

IGLÚ

INDIO

IMÁN

IGUANA

INVIERNO

IGLESIA

ISLA

INCENDIO

IMPERMEABLE

IBIS

IDEA

J

JAULA

JARDÍN

JAGUAR

JARDINERO

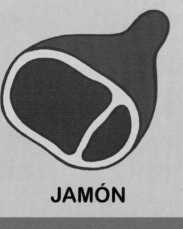

JAMÓN

JILGUERO

JUGO

JARRA

JABÓN

JIRAFA

JUGUETES

K

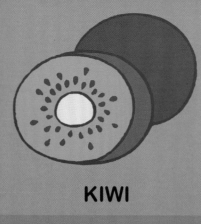

KIWI

KETCHUP

KILT

KAYAC

KIOSCO

KOALA

KEROSENE

KIRSCH

KIMONO

KILO

KAKI

L

LIMÓN

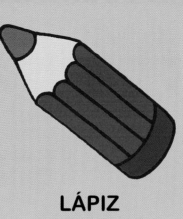

LÁPIZ

LIBÉLULA

LINTERNA

LEÓN

LÁMPARA

LUNA

LUCIÉRNAGA

LANA

LOCOMOTORA

LIBRO

LL

LLAMA

LLANTO

LLAVE

LLAMARADA

LLUVIA

LLAVERO

LLANURA

LLAVE

LLAMADOR

LLANTA

LLAMADA

M

MARIPOSA

MEDIA

MÉDICO

MUÑECA

MANZANA

MONO

MARTILLO

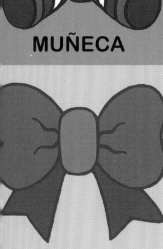

MOÑO

MERMELADA

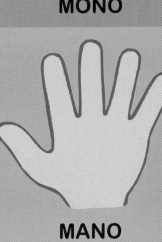

MANO

MARIQUITA

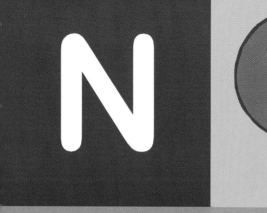

NARANJA

NIDO

NENÚFAR

NUEZ

NOCHE

ÑANDÚ

NIÑO

NUTRIA

NARANJO

ÑOQUIS

O

OSO

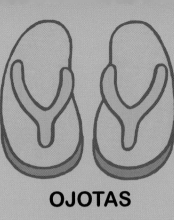

OJOTAS

ORUGA

OBELISCO

OCELOTE

OMBÚ

OVEJA

OBSEQUIO

OTOÑO

OLLA

ÓMNIBUS

P

PULPO

PERA

PEZ

PERRO

PANTALÓN

PAYASO

PAVA

PARAGUAS

PINGÜINO

PATÍN

PATO

Q

QUESO

QUIRQUINCHO

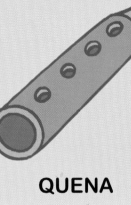
QUENA

QUEPIS

QUINTA

QUÍMICA

QUEBRACHO

QUITAMANCHAS

QUESERO

QUINOTO

QUINCHO

R

RANA

REINA

RELOJ

REY

REMOLACHA

REGADERA

RATÓN

RAQUETA

RINOCERONTE

RAYO

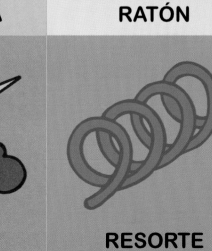
RESORTE

S

SOL

SOMBRERO

SANDÍA

SOGA

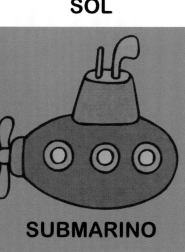

SUBMARINO

SERRUCHO

SIRENA

SOMBRILLA

SUELA

SERPIENTE

SONAJERO

T

TÍTERE

TOMATE

TRICICLO

TUCÁN

TELEVISOR

TIGRE

TROMPO

TIJERA

TETERA

TORTUGA

TORTA

U

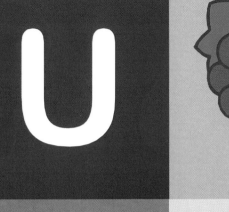

UVAS

URRACA

UTENSILIOS

UÑA

UBRE

UNICORNIO

UKELELE

URNA

ÚTILES

UNGÜENTOS

URTICARIA

VELA

VIGILANTE

VOLCÁN

VERDURAS

VENTANA

VESTIDO

VACA

VASO

VALIJA

VELERO

VASIJA

W

WHISKY

WAPITÍ

X

WINDSURF

WALKMAN

WELTER

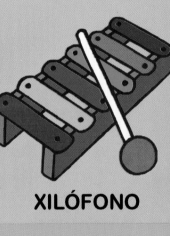
XILÓFONO

WATERCLOSET

WALKIE-TALKIE

WATER-POLO

XILÓCOPO

Y

YOGUR

YACARÉ

YO-YO

YATE

YERBA

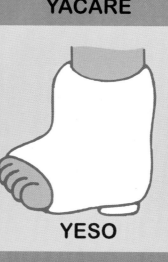

YESO

YUYO

YO

YEGUA

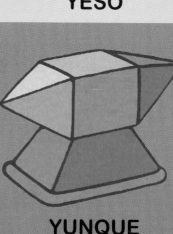

YUNQUE

YEMA

Z

ZANAHORIA

ZORRO

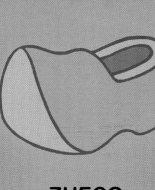

ZUECO

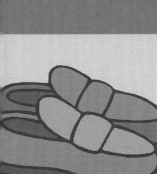

ZAPATOS

ZORRINO

ZAPATILLA

ZAPALLO

ZÁNGANO

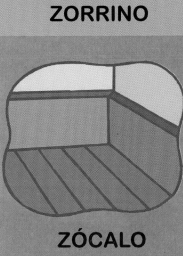

ZÓCALO

ZORZAL

ZARZAMORA